#개인적거리두기
난 코로나보다 네가 더 무서워

난 코로나보다 네가 더 무서워

발 행 | 2024년 06월 19일
저 자 | 김필립
펴낸이 | 한건희
펴낸곳 | 주식회사 부크크
출판사등록 | 2014.07.15.(제2014-16호)
주 소 | 서울특별시 금천구 가산디지털1로 119 SK트윈타워 A동 305호
전 화 | 1670-8316
이메일 | info@bookk.co.kr

ISBN | 979-11-410-9029-6

www.bookk.co.kr

#개인적거리두기

난
코로나보다
네가
더
무서워

김필립 지음

CONTENT

엊그제, 아니 바로 어제일 것만 같은데 코로나19가 우리 곁을 맴돌았던 그 참담했던 시간들. 찌통같던 하늘과 움츠러드는 사람들, 멀어지는 대화 소리와 닫혀가는 마음들. 우리는 질병을 이겨냈다고 하지만 여전히 상처는 아물지 않고, 눈에 보이지 않는 것들이 우리를 병들게 만듭니다. 나는 절망합니다. 세균, 바이러스, 코로나 그 무엇보다, 결국 사람이 사람에게 가하는 시늉에 지쳐 절망합니다.

'난 코로나보다 네가 더 무서워'는 그런 이야기입니다. 힘들고 아픈 인생의 동반자들에게, 나와 같은 이들에게 전하는 마음이기도 합니다. 이기심 앞에 순수는 무참히 짓밟히고 약육강식의 세상에서 정직은 조롱거리가 되어버린 병든 시대. 나는 이 적폐의 근원을 '사람 같지 않은 사람', 내면의 악마로 보았습니다. 둥글둥글 적당히 살아가는 위선을 거부하고 싶었고, 그래서 내 안의 분노를 거침없이 토해냈습니다.

하지만 이 책은 결코 좌절에 관한 이야기가 아닙니다. 당신에게, 내 곁을 스쳐 지나간 모든 이들에게 희망을 말하고 싶었습니다. 서로가 서로에게 지옥이 되어주는 이곳에서, 우리는 또 서로가 서로에게 구원이 될 수 있으니까요. 우리 함께 이 절망의 구렁텅이에서 기어 나와 봅시다. 당신의 손을 잡겠습니다. 지옥으로 가겠습니다, 당신을 데리러.

책을 펼치셨군요. 이제 우리는 동행입니다. 숨 쉴 수 없는 절망의 나락에서 한 줄기 빛을 향해 나아갈 여정을 함께 떠나요. 외롭고 아프고 힘들었던 그대여, 내 손을 잡아주오. 이 모든 부조리가 끝나는 그날, 우리 서로 부둥켜안고 기쁨의 눈물 흘려봅시다. 지금 우리가 서 있는 이곳이 지옥이라 할지라도, 결국 우리가 가야 할 곳은 환한 빛 속입니다.

2024년 06월
광기 어린 세상에서 당신과 함께 서성이는
저자 김필립 씀.

01화

우연히 탄 택시 안...
마음을 울렸다...

우연히 탄 택시 안...
마음을 울렸다...
"생각이 서로 다를 수 있습니다."
"가시는 목적지까지 원하시는 경로가 있으면
미리 말씀해 주십시오. 감사합니다."

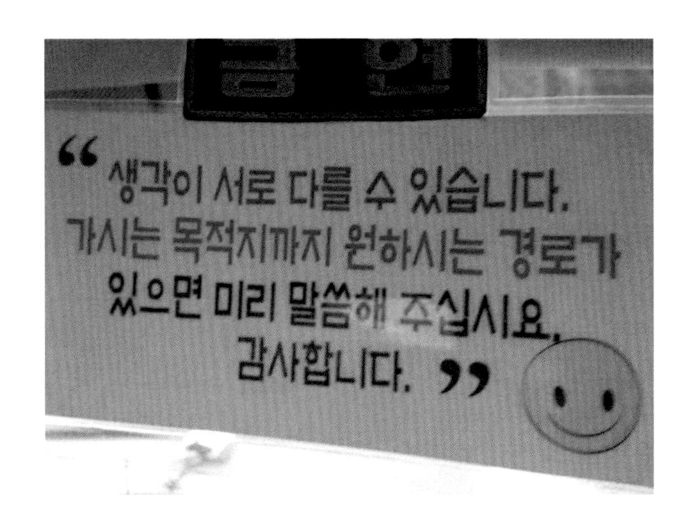

우연히 탄 택시 안에 붙은 문구. 어쩌면 이 말은 택시 경로뿐만 아니라, 인생 경로에도 해당되지 않을까?

02화

내 마음도 따라 내렸다.

비가 내렸다.
내린 것은 빗물만은 아니었다.
나뭇잎도 따라 내렸다.
비에 젖었다.
젖은 것은 몸뿐만은 아니었다.
내 마음도 따라 젖었다.

지하철 출입구 캐노피 위에 내린 낙엽비. 비바람에 힘들어도 이런 풍경을 볼 수 있으니 얼마나 좋은가.

03화

각자의 무게

요 며칠 삼각지역이나 사당역을 지날 일이 많았다.
긴 환승구간에 수많은 사람이 길게 늘어선 줄을 보면서 이런 생각이 들었다.

저 많은 사람이 각자의 무게를 이고 어디론가 가고 있구나!

내가 그동안 너무 많은 것들을 간과했던 듯하다. 나만 힘들다고 생각했구나.

이렇게 나는 오늘 조금 늙었다.

지하철 4호선에서 지하철 2호선으로 환승을 하기 위한 통로에 줄지어 걸어가는 사람들. 그래, 우린 모두 힘들어!

04화

버려진 건 무엇일까?

버려진 건 인형일까?
버려진 건 인간일까?

길을 가다가 버려진 인형을 보았다. 지난밤에 비까지 내렸는데, 얼마나 추웠을까.

05화

착각

회사가 대단한 거지
내가 대단한 게 아닌데,
지위가 대단한 거지
내가 대단한 게 아닌데,
돈이 대단한 거지
내가 대단한 게 아닌데,

회사를 떠나보면,
직책을 그만두면, 돈이 없어지면
그저 아무 상관도 없는 사람,
별 볼 일 없는 사람이 되기 쉽상인걸,
나중엔 오로지
그 사람만으로 평가되는걸.

놓아보지 않고, 떠나보지 않고, 잃어보지
않으면 모른다.

당신은 스스로 빛나는 사람인가?

06화

개인적 거리두기

사회적 거리 두기가 아니라,
개인적 거리두기를 해야 할 유형들.

하나, 돈이 되지 않을 사람들.

둘, 마음 적으로도 의지,
위안이 되지 않는 사람들.

셋, 입이 싼 사람들.

07화

소년을 만나고 싶다

무엇을 하는 곳인지
알 수 있어서 좋다.
어렵게 말하지 않고
거창하게 얘기하지 않아서 좋다.
하고 싶은 걸 그대로 말하고,
원하는 것을 그대로 드러내는 사람

그런 사람을 만나고 싶다.
잘나지 않았어도,
꾸밈없는,
아직 빛나지 않아도,
원석 같은,
그런 사람을 만나고 싶다.

길 가다가 우연히 본 미용실 간판. 간판 같지 않아서 더욱 눈에 띄었고 좋았다. 사업이든, 사람이든 이랬음 좋겠다. 꾸밈없이 있는 그대로이고 직관적이고 솔직하고 담백했으면 좋겠다.

08화

특수구조대

특수구조대원은 어디 갔을까?
특수구조대는 있긴 있을까?
특수구조대는 언제 올까?

와서,
더 이상 코로나 얘기,
취업 얘기, 아파트 얘기에서
우리를 제발 구해 주었으면.

홍대 한켠에서 우연히 발견한 특수구조대 차량.
나타나서 많이 구해줘.

09화

먹고 살려고 그랬다

"먹고 살려고 그랬다."
얼핏 들으면 살아남기 위해 악착같이 발버둥치며 노력했다는 뜻으로 들립니다. 삶에 찌들고 지친 우리가 모두 하루하루 버텨내기 위해 안간힘을 쓰는 것처럼 말이죠.

하지만 이 말에는 또 다른 의미가 숨어있습니다. 자세히 들여다보면 섬뜩한 민낯이 드러나지요.
나 하나 살자고 남의 희생쯤은 당연시하는 약삭빠른 이기주의의 그림자가 어른거립니다.

"먹고 살려고 그랬다."

사실 이 말의 진짜 뜻은 이렇습니다.

누군가의 아픔과 상처는 안중에도 없이, 오로지 제 잇속만 차리겠다는 것.

정의롭고 바른길을 걷기보다는, 눈 딱 감고 불의에 동조하겠다는 것.

이웃의 고통을 외면한 채, 내 안위만을 위해 살겠다는 것.

그렇게 나 하나 살자고 발버둥 치는 세상.

먹고사는 문제만 해결된다면 도덕과 양심쯤은 얼마든지 팔아치울 수 있다는 논리.

과연 우리는 그런 이기적인 삶의 방식에서 자유로울 수 있을까요?

아니, 그런 이기적인 인간들에게서 벗어날 수 있을까요?

10화

사람도리

돈이 없는 게 문제가 아니라,
마음이 없는 게 문제다.
잘나지 못한 게 문제가 아니라,
타인을 배려할 줄 모르는 게 문제다.

11화

인격이 운명이다

그대들은 멈추지 못해서 못 보는 것인가?
<멈추면 비로소 보이는 것>이라는
책이 있다.
소셜미디어와 단톡방을 보면 많은 분들이
열심히 사시는 것들을 본다.
좋은데 뭔가 불편하다.
정리되지 않은 것들이 많은데,
앞으로만 나아가기만 한다는 느낌이다.
진실을 제대로 밝히지 못한 채,
보수와 진보 진영의 논리로 가려져 온 것들.
그 속에서 짓밟힌 무수한 각 개인의 삶.
그리고 바로 우리 일상에서 일어나는
무수한 부조리와
거기에 절망하고 절규하고 있는
우리의 이웃들.
그게 당신이 아니었으면 그만인가?
사람들아, 사람같이 살아라.
인격이 운명이다.

12화

소망

아파트가 있어도
아파트가 없어도

사람같이 산 사람은 복 받고
사람 같지 않은 사람은 벌 받는

그런 날이 꼭 왔으면 좋겠다.

그때 너에게 찾아가 이렇게 꼭 말하리라.
인격이 운명이다.

13화

깨달음

짜가들 사이에서 괴로운 건
다른 짜가가 아니에요.

진짜 괴로운 건 진짜들이지.

14화

그건 네 것이 아냐

세상에는 두 가지 종류의 것들이 있습니다.
변하는 것들, 그리고 변하지 않는 것들.
그런데 우리는 종종 실수합니다.
변할 수밖에 없는 것들이 영원할 것이라는 착각 말이죠.
마치 그것이 자신의 것인 양 여기고 집착하면서, 언젠가 반드시 잃게 될 것들에 목숨 걸고 매달리는 것입니다.

과연 무엇이 그런 것들일까요.

첫째, 계급과 지위로 인해 얻어지는 것들입니다.
회사에서의 직책, 사회적 명성과 인정, 남들 위에 군림하는 권력까지.
이런 것들은 마치 내 것인 것처럼 착각하기 쉽습니다.
별을 달고 직위가 높아지면, 어느새 자신을 특별한 존재로 여기게 되죠.
세상이 오로지 나를 중심으로 돌아가는 듯한 우월감에 빠지기도 합니다.
하지만 그건 순전히 이 자리에 있기에 누리는 특권일 뿐, 결코 내 것이 아닙니다.
지위는 조직이 부여한 것이고, 명예는 타인이 인정해 준 것이며, 권력은 주어진 것이지 내가 쥐고 태어난 것이 아니에요.
이 자리에서 물러나는 순간, 금세 흔적도 없이 사라질 운명이죠.
그저 어깨띠를 둘렀을 뿐인데, 어느새 내가 대단한 양 자만하고 교만해지는 건 아닌지.
겸손의 미덕을 잃지 않는 것, 그것이 가장 중요합니다.

둘째, 돈과 이해관계로 맺어지는 관계들입니다.

수표책을 휘두르며 거드럭거리는 윗사람 주위로 몰려드는 아첨꾼들.

이름만 대면 환호성이 터져 나올 것 같은 유명인 곁을 맴도는 영혼 없는 추종자들.

표면적으로는 환대와 찬사를 보내지만, 그 이면에는 오로지 이해관계만 있을 뿐.

당신의 인격에 끌려서가 아니라, 당신이 가진 것에 환장해서 따르는 것뿐이에요.

그런데도 우리는 종종 그들의 칭찬에 도취하곤 합니다.

진심으로 날 위하는 사람들, 나와 한배를 탄 동지들이라 여기면서 말이죠.

하지만 그건 참혹한 오해입니다.

이해관계가 사라지는 순간 그들은 돌아서겠죠. 돈줄이 끊기면 바로 떠나겠죠.

결국 남는 건 텅 빈 승리, 쓸쓸함과 배신감 뿐일 겁니다.

그러니 부디 현명하게 판단하시길. 진정 당신 곁을 지킬 이는 누구인지.
당신의 권력이 아닌 인격을, 당신의 돈이 아닌 마음을 사랑하는 이들만이
기꺼이 그 자리를 지키며 당신과 함께할 것입니다.
세상 무엇과도 바꿀 수 없는, 삶에서 가장 값진 보물 말이죠.
지위 고하를 막론하고, 명예와 부를 초월하여 오롯이 나 자신만으로도 빛날 수 있는 사람. 그것이 바로 진정한 성공이 아닐까요.
변하지 않는 것들에 인생을 걸고, 영원할 것들에 마음을 붙이는 지혜.
우리 모두 그런 참된 가치를 좇아 살아가기를 소망합니다.

15화

호러(Horror)

차에 타기 전에 젊은 친구가
중년분에게 묻는다.
"뭐 드시고 싶으신 거 있으신지요?"
정중하면서도 조금은 상대를
어려워하면서 묻는 투다.
중년은 "아무거나 좋아"라고 대답한다.
그 중년은 정말 아무거나 좋아할까?
젊은 친구가 메뉴를 말하면
정말 크게 뭐라 하지 않고 결정할까?
차 안에서 어떤 말들이
오고 갈지 상상이 된다.

*이 얘기는 단순히 뭐 먹을지에 대한
얘기가 아닐 수도 있음.

16화

디커플링(decoupling)

SNS는 날이 갈수록 종류도 많아지고
사용자의 숫자도 늘어나는데,
상대방의 감정을
이해하고 공감을 해주는 능력은
날이 갈수록 떨어지고 실종되어가고
있는듯하다.

17화

좋은 게 좋은 거다?

우리 주변에는 참 많은 말들이 흘러 다닙니다.
그런데 그중에서도 특히 경계해야 할 말들이 있죠.
바로 "좋은 게 좋은 거야", "둥글게 둥글게 살자"와 같은 말들 말입니다.
얼핏 들으면 그럴듯해 보입니다. 긍정적이고 여유로워 보이기까지 하죠.
하지만 그 이면을 들여다보면 섬뜩한 민낯이 드러납니다.
겉보기엔 좋은 것 같지만 실상은 자기 이익만 좇는, 위선으로 가득 찬 말들이었던 것입니다.

"좋은 게 좋은 거야."
이 말의 이면에는 무엇이 있을까요?

자신에겐 좋은 것은 모조리 긁어모으고 약자의 고통은 모른 척하겠다는 냉혹함이 숨어 있습니다.
타인을 위해 자신의 것을 내어놓는 일 따위는 한사코 거부하는 이기적 속내가 도사리고 있죠.

세상 편하게 살자는 주의라며, '둥글게 둥글게' 살 것을 종용하는 이들도 마찬가지입니다.
남 일에 관여하지 말고 조용히 살라는 충고 같지만, 실상은 그저 모른 척 눈 감고 살라는 폭력에 가깝죠.
부조리한 현실에 저항하는 목소리에 "네가 뭘 안다고 나서냐"며 입을 틀어막고,
불편한 진실 앞에선 "분란을 일으키지 말라"며 눈감고 귀 막으라 합니다.

그들은 자신의 안위만 지켜지면 그만이니까요.
세상에서 벌어지는 부당함 앞에 함께 맞서 싸우기보다는, 자신만 살아남기 위해 애쓰는 배부른 자들입니다.
"그런 거 신경 쓰지 말고 네 앞가림이나 잘하라"는 충고 뒤엔 차가운 냉소만이 도사리고 있죠.

여러분, 눈 크게 뜨고 살펴보세요.
자신의 이익을 위해선 수단과 방법을 가리지 않는 얄미운 인간들.
공정함과 정의를 외치는 이들은 철저히 무시하고, 약육강식의 정글을 살아가라 부추기는 무리들.
바로 그들이 "좋은 게 좋은 거야", "둥글게 살자"고 말하며 세상을 오염시켜 가고 있습니다.
우리는 알아야 합니다.
좋은 것은 모두를 위해 좋아야 하고, 바른 것은 불편하고 모난 진실일지라도 마주할 줄 알아야 한다는 것을.
나 하나 편하게 하자고 비겁하게 눈 감아버리는 삶이 아니라,
불의에 당당히 맞서고 약자의 손을 잡아주는 용기 있는 삶을 택하는 것.
그것이 바로 진정 정의로운 삶, 옳은 삶의 자세가 아닐까요.
자, 오늘부터라도 "좋은 게 좋은 거야"라는 말에 속지 맙시다. 그저 좋아 보이는 것에 현혹되지 맙시다.
때로는 모난 돌처럼, 사회의 부조리에 맞서는 예리한 돌멩이가 되어 봅시다.

18화

나는 모른다

평소에 그렇게 말 많던 사람도
어떤 것을 아냐고 물어보면
'나는 모른다.'

평소에 자기가 아는 사람 많다 하던
사람도 누구 아냐고 물으면
'나는 모른다.'

자기 돈 벌어서 아파트 사고
차 바꾸고 시계 바꾼 사람도
투자할 생각 있냐, 기부할 생각 있냐 하면
'나는 모른다.'

나야말로 모르겠다.
당신을 어떻게 대해야 할지.

19화

말해모해

힘들고 어렵다고 말하면
도와주지도 않을 거면서
잔소리 한바탕을 하거나,
그때다 싶어서 물어뜯는 경우가 허다하다.
예외는 매우 드물다.

인격이 운명이다. 사람들아!

20화

세상살이

알다가도 더 모르겠구,
조금 알 듯하니까, 더 무섭네.

21화

그러니 아프지

기업의 CEO나 최고경영자 중에 엄청난
중압감을 겪고 있으나 따로 풀 길도 없고
그렇다고 정신과를 찾아갈 수 없어서
카운셀링을 받는 경우가 간혹 있다.
그리고 자꾸 이상하게 몸이 아파져
무당까지 찾아가는 경우가 있다.

좋은 것만 챙겨 먹고 운동도 열심히 하는데,
왜 자꾸 세상이 다 마땅치 않아 보이고,
왜 자꾸 주변 사람들이 거지로 보이고,
왜 몸까지 아파지는 걸까?
요지는 그렇다.
물질의 부자가 되어도 지위가 높아져도
거기에 맞는 마음의 부를 쌓지 못하고
영혼이 건강하지 못하면 다 소용없다.
결국 부와 권력은 그리 오래가지 못하고
몸과 마음은 피폐해질 것이다.
건물주는 무한하다,
강남아파트는 불패라고 해도 모하겠냐.
좋은 걸 좋다 못하고 ,싫은 걸 싫다 못하는
'나'가 없는 삶을 사는데.

22화

기회비용

무엇인가 꼭 비용을 들이는 것이 아니라도,
무언가 해보자 하고 말아버리는 것도
시간과 마음을 모두 써버린다는 면에서
얼마든지 비용이 될 수 있다.
함부로 무엇을 하겠다 말하지도 말고,
그런 얘기 너무 진지하게 듣지도 말자.

23화

그래서 되겠어?

네 편 내 편 가리는 진영논리 그래서 되겠어?
자기 일만 급하고 자기 사정만 중요한
개인 이기주의 그래서 되겠어?

24화

지옥

성대리가 인정받는 회사
(*성대리 : 드라마 미생에서 부하직원의 공은
자신의 공으로 자신의 과는 부하직원의 과로
돌리는 얌체 상사)
자신이 직접 한 일이 아니어도 그 누군가를
착취해서라도 성과를 내면 된다는 논리.
성대리보다 더한 놈에게 상을 주면, 다른
사람도 그런 짓 하라고 부추기시는 건가요?

25화

회사가 지옥이다

가장 비민주적인 곳은 군대도 아니고,
정치판도 아니다.
가장 비민주적인 곳은 바로 회사다.
윗사람(윗사람이라고 통칭합시다)이라고
무능하고 비도덕적이라고 해도 하야하라고 하거나, 탄핵 같은 것도 할 수 없다.
다만 가능한 것은 절이 싫으면 중이 떠나는 것처럼 퇴사하는 수밖에 없다.
바로 이렇기에 우리 삶의 만족도가 높지 않은 것이다.
아마 사회주의혁명, 공산주의 혁명이 역사의 흐름상 올 수밖에 없는 것이 이론상 맞다면 언젠가 지금의 회사의 모습은 지금과 다른 모습으로 바뀔 수밖에 없을 것이고 바뀌어야만 할 것이다.

26화

나빠

1. 일을 그냥 회사 다녀야 하니까 상사한테 혼나면 안 되니까 하면서 성과평가를 받을 때 좋은 고과를 바라는 사람은 도둑놈이나 다름없다.

2. 지나가는 말로 밥 한번 먹자, 술 한번 먹자 그러는 사람 있는데 막상 연락하면 이런저런 핑계로 미루는 사람들이 많다. 그건 사람 그냥 간을 보는 거고 사기이다.

3. 실무자 빼놓고 높으신 분들끼리 쑥덕대서 의사 결정하려는 경우가 많은데, 그런 결정이 합리적일 리 없고 정의로울 리 없다.

27화

폭력

내 편이 아닌 사람은.
나와 뜻이 다른 사람은
말해야 할 것도 말하지 말라는 조직 논리.

그건 논리가 아니라 폭력이다.

28화

소원

높은 사람이라고 따라야 하는 게 아니라,
따르고 싶은 사람이 높은 사람이 되는 사회
힘이 있는 사람이기에 굴종해야 하는 것이
아니라,
마음에서 우러나서 복종하고 싶다.

29화

체계

#하던대로하면 #그렇고그런거지뭐

현재 성과가 있다고 해서 늘 하던 일이라고 해서 업무의 표준화와 혁신을 게을리해서는 안 된다.
자신의 실적을 명확하고 체계적으로 보여주는 것도 능력이다.
기업에 있어서 매너리즘과 과신은 독이다.

30화

도둑

#도둑놈 #말과행동이달라

바쁘다고 하면서 퇴근은 일찍 하고...
성공하고 싶다면서 일에는 열정이 없고...
이런 거짓말쟁이, 이런 도둑놈 심보를 가진
사람이 되지 맙시다!
보는 눈 의외로 많습니다!

31화

끔찍

#이런상사 #상사는커녕 #사람도아냐

1. 외부 고객에게는 싫은 소리 못하면서
"너가 가라 하와이"식으로 부하직원에게
해결하라는 상사. 또 부하직원이 고객사
부탁을 들어주면 쓸데없는 짓 한다고 하면서
자기는 부탁 다 들어줘 놓고 해결은
부하직원에게 다 하게끔하는 상사.

2. 어떨 때는 원칙을 지키라고 하면서
어떨 때는 융통성을 부리라고 하면서
자기의 기준은 원칙과 융통성을 적절히
조화시킨 최선이라고 하면서
다른 사람이 하는 일은 생각이
짧은 사람이 하는 거라고 폄훼하는 상사.

3. 자기는 고객사 컨택포인트가 누구인지도
모르면서 프로모션해서 실적 올리라고 하는
상사.

32화

공감력

누군가가 힘들다고 하면,
나도 힘들다 하지 말자.
누군가가 실패하면,
당신 노력이 부족했다고 하지 말자.
2020년대 지금 현대사회엔,
괴물로 가득 차버린 이 대한민국에 가장
필요한 것은 '공감 능력'을 가진
인간이지 않을까.

그래 나부터 괴물이 되지 말자.

33화

아닌데,

#당신이 부자면 #잘나면 #무엇하랴

당신이 강남에 아파트가 있으면 무엇하랴,
나 재워 줄 것도 아닌데,
당신이 벤츠에 아우디가 있으면 무엇하랴,
나 태워 줄 것도 아닌데,
당신이 페북에 자랑질을 해대면 무엇하랴,
나 불러 줄 것도 아닌데,

34화

줄때

#장사꾼 #안물안궁 #니멋대로할거면 #내인생에서나가

제가 어렸을 때, 돌아가신 저의 선친께서 해주신 말씀이 있습니다. "사람에게 무엇인가를 줄 때 그에게 필요로 할 것이라고 생각되는 것을 주지 말고, 그 사람이 원하는 것이 무엇인지 물어보고 그것을 줘라."는 말씀으로 기억하고 있습니다.

미천하지만, 제가 직접 경험하고 관찰한 결과 많은 기업들은 소비자가 원하는 것을 주지 않고 소비자가 필요로 할 것이라고 스스로 지레 짐작하는 것을 주고 있음을 볼 수 있었습니다. 어떤 경우에는 그 기업이 줄 수 있는 것만 주려고 하면서 그것이 좋은 것이라고 포장하는 경우도 있었습니다.

이것은 상도는커녕 상술도 못될뿐더러
기업은커녕 장사꾼도 못 되는 경우이지 않을까, 싶습니다.

부디, 소비자의 관성을 깨고 싶은 마음이 간절하다면 스스로 타성을 먼저 깨시기를 조심스레 기대해 봅니다.

35화

상대성

언덕길. 고물상 리어커를 끌고 올라가는
할아버지. 무거운 수레를 노구의 몸으로
끌려고 하니, 속도가 나지 않는다. 그런 탓에
그 뒤에 BMW 운전자가 빵빵거린다.
잠시 후 팔뚝에 타투를 한 양아치같이 보이는
한 사람이 무지막지한 속도로 뛰어오더니,
리어커를 뒤에서 어마무시한 힘으로
밀어준다.
이 할아버지에게 과연 양아치는 누구일까?

36화

지나는 지혜

지나고 나면 아무것도 아닐 수 있다.
지나기 전에는 모든 것일 수 있다.
지나고 나도 잊지는 말자.
지나면서도 너무 함몰되지는 말자.

37화

반복

#영조 #낙하산

평균수명이 50살도 되지 않던 조선시대에 영조라는 왕은 왕 노릇만 무려 52년이나 했다.
이 영조가 이렇게 오랫동안 왕좌를 지킬 수 있었던 것은 신하들이 각자의 패거리를 조성하여 죽도록 싸우게 하는 붕당정치가 있었다.
이 치사하고 졸렬한 권력자의 놀음에 신하들과 백성들은 놀아날 수밖에 없었다.
시간이 수백 년이 흘렀지만, 바뀐 것은 없다.
나라의 지도자들과 경영자들은 나라와 회사가 하나가 되자, 단결하자 하지만, 진짜 그것을 원하는 리더는 없다.

자리를 차지한 자들은 자신의 자리만 보전

만 되면 되었지, 후배를 양성할 필요가 없게 되어버렸다.
평균 재직 연수는 불과 5년도 되지 않는데, 대부분의 높으신 분들은 그 자리만 십수 년을 지키고 있는 경우가 허다하다.

또한 그들은 자신들의 권세를 유지하고 자신들의 자손이 대대손손 그 지위를 유지하게 만들고 싶을 뿐이다. 그래서 자기 자식, 친인척, 아는 사람의 자식이나 그 아는 사람까지 낙하산으로 꽂는다.

오늘 우린 어떻게 할 것인가.
이 거지 같은 판에서 어떻게 살아남을 수 있을까.

알파고에게 물어보고 싶다.

38화

메커니즘

사람들은 자신의 잠재의식에서
원하는 것이 맞다고
본능적으로 믿게 되는
메커니즘이 있는 듯하다.
또한 그렇게 의도적이든 비의도적이든
왜곡되고 착각되어 진 생각이
심지어 그것이 오해가 아니라,
제대로 이해한 것이라고
생각하는 경우가 상당하다.
그리고 그것을 타인에게도
강요하는 경우도 존재한다.

39화

소신을 지킨다는 것

소신을 지킨다는 것은
그 어떤 손해를 감수하고도
끝까지 간다는 것이다.
누가 당장 알아주지 않아도,
모두가 인정해 주지 않아도
자기가 세운 원칙을 묵묵히 지키는 것이다.
영악하고 심지어 교활한 사람이
사회생활을 잘하는 것으로 인정받는
요즘 같은 세상에서
소신을 말하고 원칙을 지키는 것은
매우 무모하고 위험하되,
매우 용기 있고 고결한 것이다.

40화

맘테크, 마음의 재테크

'돈은 많아도 마음은 왜 자꾸 가난해지는 걸까?'

우리에겐 무엇이 가장 절실할까요?

요즘 같은 팍팍한 세상을 버텨낼 우리만의 무기, 마음의 재테크가 아닐까요.
현실을 살아가는 데 돈은 필수 불가결한 요소입니다.
그럼에도 잊지 말아야 할 것이 있습니다.
물질적 궁핍함을 겪는 이들과는 손을 잡을 수 있어도,
마음의 빈곤을 지닌 이들과는 섣불리 인연을 맺지 말아야 한다는 것.
영혼까지 병들어 버린 이들은 우리를 구렁텅이로 몰아넣을 수 있습니다.
겉보기엔 화려하고 성공적인 삶을 살아가는 듯해도, 그 내면은 삭막하기 그지없는 사람.
그런 이들과 깊이 관계 맺는 건 독이 될 뿐입니다.

41화

다이어트

다들 살 뺀다고 하는데,

진짜 버려야 할 것은 살덩이가 아니라,
탐욕이 아닐까.

"Traversing the inferno? I'm already amidst the flames.
Be it hell or high water, I'll walk beside you. It's easier to contact them than sending spam emails. Your fellow traveler awaits."

지옥을 횡단하고 있는 독자들에게,
당신은 혼자가 아니다_김필립

Tell me about your universe.
kimphilip@outlook.kr

사람이 제일 무섭습니다.

나는 절망합니다.

세균, 바이러스, 코로나

그 무엇보다,

결국 사람에게 지쳐 절망합니다.

값 8,600원

ISBN 979-11-410-9029-6

고스란히 그대에게 닿았다

노소영 시집

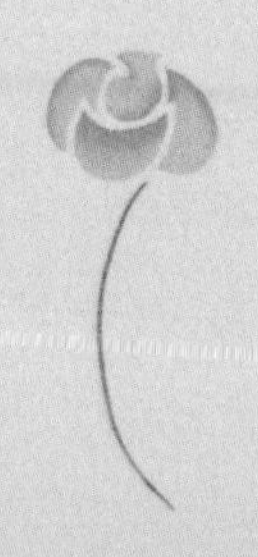

BOOKK